BEN
10

Publicado en Gran Bretaña en 2009 por Egmont

1ª edición: Febrero 2010

Travessera de Gràcia, 73-79, 1° 1ª. 08006 Barcelona
www.medialivecontent.com
Preimpresión: Admagraf
Con la colaboración de ST&A
Impreso y encuadernado en España.
Depósito legal: B.961-2010
ISBN: 978-84-92809-40-0

BEN 10
CREADO POR
DUNCAN ROULEAU, JOE CASEY,
JOE KELLY Y STEVEN T. SEAGLE
MEDIALIVE

BEN 10

FERAL
ESPECTRAL
INFIERNO
BEN TENNYSON
DIAMANTINO

LIBÉLULO
ACTUALIZADOR
CUATRO
BRAZOS
XLR8
MATERIA
GRIS
FAUCES

EL KRAKKEN

GUIÓN DE
MAN OF ACTION

LA LUNA LLENA BRILLA SOBRE UN LAGO EN PLENA NATURALEZA.
BEN TENNYSON SE DIVIERTE EN EL AGUA.
¡BOLA DE CAÑÓN!
¡SPLASH!
LOS JUECES LE DAN UN DIEZ. ¡PERFECTO! LAS MASAS APLAUDEN CON ENTUSIASMO.
UN MEMO PERFECTO, DIRÍA YO.
¡VAMOS, VEN A NADAR!

¿ESTÁS DE BROMA? A SABER CUÁNTOS BICHOS ASQUEROSOS ESTARÁN NADANDO POR EL AGUA...

¿QUÉ GRACIA TIENE ACAMPAR EN UN LAGO SI NO TE GUSTA MOJARTE?

¡SPLASH!

¡OH!

¡SPLAAASSHH!
¡PARA YA, PESADO!

¡ARGGGG!

¡EY! ¿QUÉ ME PASA?

MUY GRACIOSO, BEN. PERO NO ME LO TRAGO.
¡GLUG!
¡GLUUP!
¿BEN?

DE REPENTE, UN MONSTRUO GIGANTE APARECE ENTRE LAS AGUAS.
¡GLUG!
¡SLUURRPP!
GROARRR

¡AHHHH!
¡OHHH!
.A CRIATURA GIGANTE ES... ¡CUATROBRAZOS!
¡JA, JA!

ERAS TÚ...
TENDRÍAS QUE HABERTE VISTO LA CARA. ¡JA, JA! ERA IMPAGABLE.

TE VAS A ENTERAR CUANDO LO SEPA EL ABUELO.
¡JUMMM!
NO ENTIENDO CÓMO SE LO HA CREÍDO. UN MONSTRUO EN EL LAGO... ¡VAYA TONTERÍA!

DE REPENTE, UNA FIGURA OSCURA SURGE DE LAS PROFUNDIDADES.
¡SPLASH!

¿EHHHH?

PERO... ¿PERO ESTO QUÉ ES?

EL MONSTRUO SE ELEVA POR ENCIMA DEL LAGO...
... Y ATACA SÚBITAMENTE A CUATROBRAZOS.

¡UPS!

¡WHACK!

¡SPLASH!

EL MONSTRUO LANZA A CUATROBRAZOS AL OTRO EXTREMO DEL LAGO.
¡AHHHH!
¡CHOOOF!
¡AHHHH!
Y RÁPIDAMENTE VUELVE A CAPTURARLO.
¡SPLASH!
ACTO SEGUIDO LO ARRASTRA HASTA EL FONDO DEL LAGO.
¡GLUUP!
¡GLUG!

IMPRESIONADO POR EL ENORME OJO DEL MONSTRUO, CUATROBRAZOS LUCHA POR LIBERARSE.
¡GULP!
¡AGGHH!
¡ERGG!
¡AHHH!
¡SPLASH!
¡UFF!

DE VUELTA A LA AUTOCARAVANA...
¡ME HA ATACADO UN MONSTRUO GIGANTE!
¿POR QUÉ NO TE INVENTAS OTRO CUENTO? CON ESE YA ME LA PEGASTE.
AHORA VA EN SERIO.
RECUERDA QUE MAÑANA HAY QUE LEVANTARSE TEMPRANO PARA IR DE PESCA.
VAMOS, BEN, BASTA DE BROMAS. YA ES HORA DE ACOSTARSE.
¡PERO ES LA VERDAD! ¡ERA UNA BESTIA GIGANTE CON UNOS OJOS ENORMES COMO FAROS!
¡BIIIP!
¡BIIIP!
EL RELOJ EMPIEZA A PITAR Y BEN VUELVE A SU FORMA HUMANA.

AL DÍA SIGUIENTE...
¿ESTÁS SEGURO DE QUE NO ERA UN PEZ?

BEN, BASTA YA DE PECES GIGANTES.
LO MISMO DIGO.

¡JUMMM!

¡JE, JE, JE!

¡PUAJ! ¿QUÉ TIENES EN LA MANO? ¡QUÉ ASCO!
SON PARA EL CEBO.
¿TIENES HAMBRE?
CREO QUE PASO DE IR A PESCAR. ME QUEDO POR AQUÍ A TOMAR EL SOL.
MUY BIEN, PERO NO SABES LO QUE TE PIERDES.
YO DIRÍA QUE SÍ.
¿EL CAPITÁN SHAW?
¿QUIÉN LO BUSCA?

SOY MAX TENNYSON Y ÉSTE ES MI NIETO BEN. HEMOS ALQUILADO SU BARCA PARA IR DE PESCA.
¿Y A QUÉ ESPERAN? ¿A QUE LOS INVITE A PASAR? SUBAN A BORDO, QUE NO TENGO TODO EL DÍA.
GUAY...
LA BARCA ZARPA HACIA EL CENTRO DEL LAGO.
¿CREE QUE ENCONTRAREMOS ALGUNA PRESA INTERESANTE?
MÁS DE LO QUE IMAGINA. VEO QUE SU NIETO QUIERE USAR EL DESAYUNO COMO CEBO.

BEN, ¿CÓMO ESTÁS? ¿TE HAS MAREADO?
ESTOY BIEN. SÓLO ESTABA ATENTO POR SI APARECE EL MONSTRUO. ESTA VEZ NO ME PILLARÁ DESPREVENIDO.

¡MIRA! ¡AHÍ ESTÁ!

LO SIENTO.
BEN, HEMOS SALIDO A PESCAR, NO A CAZAR MONSTRUOS.
A ESE MONSTRUO LO LLAMAMOS EL KRAKKEN.
¡OH!, ESTÁ AL CORRIENTE DEL MONSTRUO.
TENGO QUE ESTAR AL CORRIENTE.
LLEVO AÑOS DETRÁS DE ESA BESTIA.

LA GENTE DICE QUE ME FALLA LA BRÚJULA.
LA VERDAD ES QUE NO ME EXTRAÑA EN ABSOLUTO.
DICEN QUE ES UNA LEYENDA DE MÁS DE CIEN AÑOS. PERO YO SÉ QUE ES REAL.
LES PUEDO LLEVAR ADONDE VI AL MONSTRUO CON MIS PROPIOS OJOS.
SI ES QUE TIENE AGALLAS PARA UNA AVENTURA DE VERDAD...

¿ABUELO?
MMMM...
SÍ, SUPONGO.

¡EN MARCHA!

UN SÓNAR. VÍDEO DE ALTA DEFINICIÓN. ULTRASONIDOS...
TENGO TODO LO NECESARIO PARA ENCONTRARLO.
YA TE DIGO. TARDE O TEMPRANO DARÉ CON ÉL.
¡UAU!
OH...

BEN, NO DEBES TOMARTE MUY EN SERIO LO QUE DICE EL SEÑOR SHAW.
NO SÉ SI SABE MUY BIEN POR DÓNDE NAVEGA. YA ME ENTIENDES...

¿POR QUÉ? ¿PORQUE TAMBIÉN DICE QUE VIO AL KRAKKEN?

VERÁS...
PROHIBIDO EL PASO

LA EMBARCACIÓN SE DETIENE. UNA PARTE DEL LAGO ESTÁ BLOQUEADA.
¿PROHIBIDO EL PASO? ¿QUÉ PASA AQUÍ?
PARECE ALGO OFICIAL. MEJOR DAMOS MEDIA VUELTA.
¡BOBADAS!
ESTE ES *MI* LAGO E IRÉ DONDE ME...

¡AL PESQUERO! ¡ALTO AHÍ!
SOY JONAH MELVILLE, FUNDADOR DE LOS AMIGOS DE LOS PECES.
HEMOS CERRADO ESTA ZONA PARA UN ESTUDIO AMBIENTAL. DÉ MEDIA VUELTA AHORA MISMO.
A MÍ NADIE ME...
BUENO, DADO QUE YO ALQUILÉ LA BARCA POR TODO EL DÍA, YO TOMO LAS DECISIONES. ¿NO ES ASÍ, CAPITÁN?
¿Y QUÉ PASA CON EL KRAKKEN?
¿EL KRAKKEN? ESO ES UNA VIEJA LEYENDA DE PESCADORES. SOY BIÓLOGO MARINO Y, SI ALGUIEN AFIRMA HABER VISTO UN MONSTRUO EN ESTE LAGO, ES QUE LE FALTA ALGÚN APAREJO.
EJEM...

EL CAPITÁN ECHA UNA OJEADA AL TABLERO DE MANDO.
¡BIIIIP!
¡BIIIIP!
¡EL SÓNAR! HEMOS ENCONTRADO ALGO.

O ALGO NOS HA ENCONTRADO. ¡MIRAD!

¿ES EL KRAKKEN?
UNA EXTRAÑA FIGURA AVANZA POR EL AGUA COMO UN COHETE.
¡ES EL MONSTRUO! ¡VA DIRECTO HACIA EL MUELLE!
¡GWEN!

POR FIN UN POCO DE SOL. Y SIN LA COMPAÑÍA DEL BOCAZAS DE MI PRIMO. ES HORA DE RELAJARSE.

ENTRETANTO, EL KRAKKEN SIGUE SU CAMINO HACIA EL MUELLE A TODA VELOCIDAD.

¡CORRE, GWEN, SAL DE AHÍ!

ÉSA ES LA BARCA DE BEN Y EL ABUELO. ¿POR QUÉ HARÁN SONAR LA SIRENA DE ESE MODO?

¿SE CREE ES
MEMO QUE
VOY A CAER
OTRA VEZ E
LA MISMA
TRAMPA?

DE REPENTE...
¡UAU! ¡ÉSE NO ES BEN!
EL KRAKKEN CHOCA CONTRA EL EMBARCADERO Y LO HACE TRIZAS.
¡CRASH!
¡AHHHH!
¡SPLASSSSSH!
¡UF!
¡GRRRROARRRRR!

OS LO DIJE. ES REAL. EL KRAKKEN EXISTE.
DÉSE PRISA. NO E HORA DE PONERSE MEDALLAS. ALGUIE TIENE QUE RESCAT A ESA GENTE.
¡ALLÁ VOY!
¡CHOOOF!

¡GLU!

¡FAUCES AL RESCATE!

¡BIIIP!

¡AHHH!

¡SPLASH!

BEN SE SUMERGE EN EL AGUA Y ACTIVA EL OMNITRIX.

LA LUZ VERDE DEL OMNITRIX SE ELEVA DESDE EL FONDO DEL LAGO.

¡EH! DIJE FAUCES, NO **XLR8**. ¡ESTÚPIDO RELOJ!

¡GRRROARRR!
¡SOCORRO!
¡CUIDADO!
¡OH, NO!
¡YA VOY!
¡FLOOSH!
¡GROARRR!
¡VIENE HACIA MÍ!
¡AHHH!
COMO UN RAYO, XLR8 RECOGE A GWEN Y LA LLEVA A UN LUGAR SEGURO.
¿ESTÁS BIEN?
¡ZZZIIIIIPP!
CREO QUE SÍ. GRACIAS POR SALVARME.

¡GLOOP!
¡EHH! ¡LO HAS HECHO A PROPÓSITO!
¡SE ACABÓ!
¡GLUPS!
¡WHOOSH!
XLR8 LLEVA AL RESTO DE GENTE A LA ORILLA.
UH...
¿QUÉ PASÓ?

ENTRETANTO, EN EL BARCO DE JONAH MELVILLE...
¡HUYAMOS DE INMEDIATO!
EL PILOTO INTENTA CONDUCIR EL BARCO LEJOS DEL MONSTRUO.
PERO EL KRAKKEN VA A POR ELLOS.
XLR8 SE DESLIZA COMO UNA FLECHA POR EL AGUA EN DIRECCIÓN AL BARCO
¡FLOSSH!

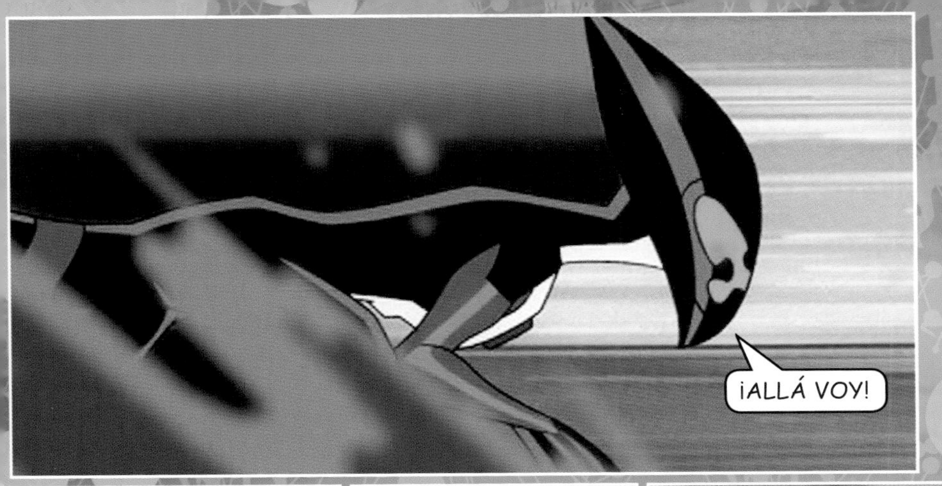
¡ALLÁ VOY!

XLR8 CREA UN TORBELLINO ENTRE LA EMBARCACIÓN Y EL KRAKKEN PARA FRENAR EL ATAQUE DEL MONSTRUO.
¡FLOOSH!
¡FLOOSH!
¡BRRROOOM!

GROOOOARRR!
¡SPLASH!
EL KRAKKEN SE SUMERGE DENTRO DEL AGUA.

F.O.F
¡FLOOSH!

F.O.F
¡POOM!

¡AHÍ ESTÁ!
F.O.F
JONAH

EL KRAKKEN SE ALZA SOBRE LA POPA DEL BARCO.
¡GROARRR!

¡GROARRR!
F.O.F

CONSERVAS
EL KRAKKEN SE ABALANZA SOBRE LA CAJA DE LA CUBIERTA CON SUS COLMILLOS FEROCES Y AFILADOS.
¡NOOO!
¡NO TE LO LLEVARÁS! ¡NO! ¡NUNCA!
CONSERVAS
¡FIIIUUUU!

XLR8 RETIENE EL TENTÁCULO DEL KRAKKEN.
A CONTINUACIÓN ACELERA CON TODAS SUS FUERZAS PARA MANTENER EL TENTÁCULO ALEJADO DE LA CAJA.
¡FLOOSH!
¡PUMBA!
JONAH PIERDE EL EQUILIBRIO Y SE CAE AL SUELO.
¡POM!
¡OHH!
¡GRRROARRRR

AL PARECER, NO SE RINDE CON FACILIDAD.
CONSERVAS
ESTA VEZ XLR8 SE LANZA AL ATAQUE.
¡FLOOSH!
GRACIAS A SU FUERZA Y SU GRAN VELOCIDAD, GOLPEA REPETIDAMENTE EL CUELLO DEL KRAKKEN.
¡PLAS!
¡UF!
¡PATAPLAS!

¡GRRRRRR!
ENTRE AULLIDOS DE DOLOR, EL KRAKKEN SE SUMERGE EN EL AGUA.
¡SPLASH!
GRACIAS POR ECHARNOS UNA MANO. O EL PIE...
¿QUÉ GUARDÁIS EN ESA CAJA TAN IMPORTANTE COMO PARA ARRIESGAR LA VIDA?
ESTO... LA COMIDA.
JONAH
JACK

¡PLAM!
¿ARRIESGÓ LA VIDA POR UNOS BOCADILLOS?
CONSERVAS
EL KRAKKEN NO SE DA POR VENCIDO. SE APODERA DE LAS CAJAS Y LAS ARRASTRA DENTRO DEL AGUA.
¡FLOOSH!
¡SPLASHHH!
EL OMNITRIX EMPIEZA A PITAR.
¡OH!, LO SIENTO... TENGO QUE IRME.
F.O.F

XLR8 SE DA A
LA FUGA.

¡FLOOSH!

¿Y ÉSE
QUIÉN ERA?

XLR8 SE APRESURA
HACIA LA BARCA DEL
CAPITÁN SHAW.
¡FLAASH!
YA CASI ESTOY.
CREO QUE ME
VOY A...
¡SPLASH!

PERO BEN NO CONSIGUE LLEGAR A TIEMPO.
¡EEEEGH!
VUELVE A SU FORMA HUMANA CUANDO AÚN ESTÁ EN MEDIO DEL LAGO.
¡ABUELO!
CAPITÁN, BEN SE HA CAÍDO AL AGUA. TIENE QUE DAR MEDIA VUELTA.
¿MMM?
LA PRÓXIMA VEZ QUE NOS CRUCEMOS NO SERÁS TAN AFORTUNADO.

¡YA OS LO DIJE! ESA COSA ME ATACÓ AYER POR LA NOCHE.
EL CAPITÁN SHAW TENÍA RAZÓN.
QUE TENGA RAZÓN RESPECTO AL KRAKKEN NO QUIERE DECIR QUE YO NO LA TENGA RESPECTO A ÉL. NO TE ACERQUES A ESE HOMBRE. ES PROBLEMÁTICO.
MMM... TE ESTÁS PONIENDO TERCO.
SÍ, ¿NO DECÍAS QUE NO TE GUSTA ESE TIPO DE GENTE?
DEJÉMOSLO EN MANOS DE LOS EXPERTOS, BEN, COMO LOS AMIGOS DE LOS PECES.

¿EXPERTOS? ¿QUIÉN MEJOR PARA PESCAR A UN MONSTRUO QUE ALGUIEN CON UN CAZAMONSTRUOS EN LA MUÑECA?
NO SÉ, BEN, TAL VEZ NO SEA DE LOS QUE MUERDEN EL ANZUELO.
CAPITÁN SHAW, ¿QUÉ HACE AQUÍ?
LAS COSAS CLARAS. ESOS TIPOS NO SON AMIGOS DE LOS PECES.
VAYA CARA TIENEN ESOS ECOLOGISTAS DE PACOTILLA. NADIE ME DICE DÓNDE PESCAR.
Y NADIE ME APARTARÁ DE LA PRESA DEL SIGLO. ¡NADIE!

ESA MISMA NOCHE...
¡POM!
¡POM!
VAMOS, BEN... TE HAS CAÍDO POR LA TAZA?
¿BEN?
¡SE HA MARCHADO!

¿QUÉ ES ESE RUIDO?
¿EH?
¡CRIIC!
NO QUIERO POLIZONTES EN MI BARCO. NI SIQUIERA UNA RATA ASQUEROSA.
¡CRIIC!
¡GULP!
PRIMER OFICIAL TENNYSON A SUS ÓRDENES.
MMM...

SEGURO QUE ESOS METOMENTODOS LO HAN AHUYENTADO. SÓLO HAY UNA FORMA DE HACERLO SALIR.
CON UN POCO DE CARNAZA.
TAL VEZ DEBA ACOMPAÑARLO. POR SI ACASO...
DE ESO NADA. YO YA TENGO MI ACOMPAÑANTE.

DESÉAME SUERTE.
¡SPLASH!
MMM...
¡AJÁ!

EL CAPITÁN SHAW SE SUMERGE HASTA EL FONDO DEL LAGO EN BUSCA DE RASTROS DEL KRAKKEN...

DETECTA ALGO EN EL LECHO DEL LAGO...

... ¡EL HUEVO DEL KRAKKEN!

DE REPENTE APARECE UNA SOMBRA DETRÁS DEL CAPITÁN SHAW.
SIN DUDAR UN MOMENTO, EL CAPITÁN DISPARA EL ARPÓN.
¡FLOOSH!
PERO LA SOMBRA LOGRA ESQUIVARLO.
LA SOMBRA SE CONVIERTE EN BEN.

EL CAPITÁN SHAW
MUESTRA EL
HUEVO A BEN.

Y REGRESA NADANDO
A LA SUPERFICIE PARA
BUSCAR EL EQUIPO.

CUANDO EL CAPITÁN SALE A
FLOTE, APARECE UNA LANCHA
MISTERIOSA JUNTO A LA BARCA.

AL INTENTAR SUBIR POR LA ESCALERA, UNA MANO TIRA DE SU BRAZO...
... Y LO ARROJA POR LA CUBIERTA.
¿NO SABE QUE LAS INMERSIONES NOCTURNAS SON PELIGROSAS, VIEJO CHIFLADO? A MENOS QUE HAYA VENIDO CON UN AMIGO.
YO TRABAJO SOLO. NADA DE AMIGOS.

BEN EMERGE DEL AGUA.
¡SPLASH!
¡NO TENGO NADA DE VALOR!
NO VENIMOS A ROBAR. SÓLO QUEREMOS INFORMACIÓN.
¿QUÉ HA VISTO AHÍ ABAJO?
NADA DE NADA, COMO SIEMPRE.

¡PLAF!
EL ENMASCARADO DEJA AL CAPITÁN INCONSCIENTE DE UN FUERTE PUÑETAZO.
EL ENMASCARADO ES JONAH, EL FUNDADOR DE LA ASOCIACIÓN AMIGOS DE LOS PECES.
VEAMOS.
TENDREMOS QUE ASEGURARNOS.

¿CÓMO?
NOS LLEVAMOS AL VIEJO. AVERIGUAD SI SABE ALGO. DESPUÉS VOLVEREMOS A POR LOS HUEVOS CON EL SUBMARINO.
JONAH LANZA UN DISPOSITIVO LOCALIZADOR EN EL AGUA.
¡BIIIP!
¡BIIIP!
¡SPLASH!
A CONTINUACIÓN ACTIVA UN TEMPORIZADOR.
¡CLIC!
TODOS SUPONDRÁN QUE EL BARCO SE PERDIÓ EN EL LAGO.

Y AHORA LARGUÉMONOS DE AQUÍ.
LA LANCHA HUYE A GRAN VELOCIDAD ANTES DE QUE EL BARCO DEL CAPITÁN EXPLOTE.
¡BOOOOM!
UHH...

BEN ACTIVA EL OMNITRIX DE INMEDIATO.
¡HÉROE EN ACCIÓN!

INSTANTES DESPUÉS...
¿QUÉ ES ESO? ¿ES UN PÁJARO?
NO, PARECE UN AVIÓN.
BEN SE HA TRANSFORMADO EN **LIBÉLULO**.
ES UN INSECT GIGANTE. ¡RÁPIDO, LOS ARPONES!
¡RENDÍOS! NO TENÉIS NADA QUE HACER.

¡TOMA YA!
¡BOOM!

¡SLURRRRP!
¡PRUEBA ESTO!

¡FLOOP!
¿UH?

¡BLOOOP!
¡AH!

¡AHORA VERÁS!

¡CLIC!

JONAH LIBERA LOS BARRILES EXPLOSIVOS DE SU LANCHA.
¡SPLASH!

Y SE DETONAN AL ACERCARSE A LIBÉLULO.
¡BOOOM!

¡AHHH!

LA EXPLOSIÓN LANZA A LIBÉLULO AL AGUA.
¡SPLASH!

¡BOOOOM!

¡OHHH!

¡OH, NO! CON LAS ALAS MOJADAS NO PUEDO DESPEGAR.

AL VER A LIBÉLULO EN EL AGUA, JONAH ACELERA LA LANCHA.
¡FLASSSSH!

VOY A APLASTAR ESE BICHO DE UNA VEZ POR TODAS.

SE DIRIGE RÁPIDAMENTE HACIA LIBÉLULO.

¡AHHH!
¡JA, JA, JA! ¡NO SALDRÁS VIVO DE ÉSTA!
LIBÉLULO SE REVUELVE DENTRO DEL AGUA EN BUSCA DE REFUGIO.
¡UH!
¡OH, NO! ¡SE ACERCAN!
LIBÉLULO ESTÁ EN LA LÍNEA DE TIRO. UNO DE LOS HOMBRES SE PREPARA PARA DISPARAR.

¡TENGO QUE VOLAR!
¡VAMOS, DESPEGA YA!

¡HASTA NUNCA, INSECTO!
¡BOOOM!

¡FLOOOOP!

¡GLUG!
LIBÉLULO LANZA UN LÍQUIDO PEGAJOSO A UNA RAMA CERCANA.

¡SLUURRRP!

GRACIAS A ESTA SUSTANCIA CONSIGUE DESPLAZARSE HACIA EL ÁRBOL PARA ESQUIVAR LOS DISPAROS.
¡FLOOSH!

¡SPLASH!

¡FLASSSSH!
¿DÓNDE ESTARÁ ESE BICHO?
QUÉ RARO...
LIBÉLULO SE OCULTA DETRÁS DE UNA RAMA.
¡AHÍ ESTÁ!

ESTE LAGO ESTÁ DEMASIADO CONCURRIDO. SERÁ MEJOR QUE TIREMOS LA BASURA.
POR FIN HAN DESISTIDO...
¡ARGH!
JONAH Y SUS HOMBRES ARROJAN AL CAPITÁN SHAW AL LAGO.
¡SPLASH!
LIBÉLULO VUELA EN SILENCIO DESDE EL ÁRBOL PARA RESCATARLO.

¡ERRG!
YA LLEGAMOS...
EL OMNITRIX VUELVE A PITAR.
¡BIIIP!
¡BIIIP!
¡OHHH!

MIENTRAS TANTO, EN LA AUTOCARAVANA...
¿ALGÚN RASTRO DE BEN Y SHAW?
AÚN NO.

YA FALTA POCO.
¡FLOOSH!
DE REPENTE, BEN VUELVE A SU FORMA HUMANA CUANDO TODAVÍA ESTÁ VOLANDO.
¡NO, OTRA VEZ NO!
BEN Y EL CAPITÁN SHAW SE ESTRELLAN SOBRE EL TOLDO DE LA AUTOCARAVANA DEL ABUELO MAX.
¡PLAF!
¡EH! ODIO QUE ESTO ME PASE.

AL CABO DE UN RATO...
... Y EL NIDO DE KRAKKEN ESTABA LLENO DE HUEVOS. NO ME EXTRAÑA QUE ATAQUE A TODO EL MUNDO. JONAH DEBE ESTAR ROBANDO SUS HUEVOS.
YA SÉ QUIÉN ES ESE JONAH. HE INVESTIGADO SU ORGANIZACIÓN. NO APARECE EN LOS DIRECTORIOS DE MEDIO AMBIENTE.
PERO ENCONTRÉ ESTO.
JONAH MELVILLE NO ES NINGÚN AMIGO DE LA NATURALEZA. VIAJA POR TODO EL MUNDO A LA CAZA DE ANIMALES RAROS. LOS ENJAULA Y LOS VENDE A COLECCIONISTAS.

SUPONGO QUE TODOS HEMOS SIDO UN POCO TERCOS.
¿LOS ENJAULA?
¡PUES CLARO! LA CAJA QUE SE LLEVÓ EL KRAKKEN DEBÍA CONTENER UNO DE LOS HUEVOS.
¡TENEMOS QUE DETENERLOS! DIJERON ALGO DE VOLVER A UNA FÁBRICA DE CONSERVAS.
TODO ESTO NO CAMBIA NADA. TENGA CRÍAS O NO, ESA BESTIA ES MÍA.
VAMOS. TENGO OTRA EMBARCACIÓN EN EL MUELLE.

LA POLICÍA TARDARÁ BASTANTE EN LLEGAR.
MMM...
¡EHH!
¿QUÉ ESTÁIS HACIENDO? ¡VOLVED!
LO SIENTO, CAPITÁN.
NO SABÉIS LO QUE OS TRAÉIS ENTRE MANOS. ¡ES UN MONSTRUO! Y SÉ RECONOCER A UN MONSTRUO EN CUANTO LO VEO.

ENTRETANTO, JONAH HA ESTADO OCUPADO ROBANDO LOS HUEVOS DEL KRAKKEN DEL FONDO DEL LAGO.
FWOOSH!
¡CUIDADO! O LO CONVERTIRÉIS EN LA TORTILLA MÁS CARA DEL MUNDO.
UNA VEZ VENDAMOS ESTOS CHIQUITINES AL MEJOR POSTOR, IREMOS A TUMBARNOS EN LA PLAYA DE LAS BAHAMAS.

EL ABUELO MAX, GWEN Y BEN LLEGAN A LA FÁBRICA DE CONSERVAS.
ID A BUSCAR LOS HUEVOS.
¿Y TÚ QUÉ HARÁS?
VOY A DARLES SU MERECIDO.
¡BIIIIP

EL OMNITRIX SE ACTIVA.
¡BIIIIIP!
¡ZAP!
LA TRANSFORMACIÓN HA EMPEZADO.
UN HAZ DE ENERGÍA FLUYE POR EL CUERPO DE BEN.
¡ZAP!
UNOS DIENTES AFILADOS LE CRECEN EN LA BOCA.
¡GRROOOOAAARRR!
EL OMNITRIX CONVIERTE A BEN EN **FAUCES**.

¡FLOOOSSHH!
JUSTO ENTONCES, EL KRAKKEN SALE A LA SUPERFICIE DEL LAGO.

¡EL KRAKKEN!
¿EH?
¡GENIAL! CUANTO MÁS GRANDE MÁS DINERO NOS PAGARÁN.
JONAH SUBE A SU ESCAFANDRA ROBÓTICA.

LOS HOMBRES DE JONAH EMPIEZAN A DISPARAR AL KRAKKEN.
IRÉ A POR EL CAÑÓN.
¡APRISA!
EL KRAKKEN NO SE INMUTA ANTE LAS BALAS.
¡CRAAC!
JONAH COGE RÁPIDAMENTE EL RECIPIENTE DONDE GUARDA LOS HUEVOS.
¡GRRROOOOAAAR!
JONAH INTENTA ESCAPAR DEL KRAKKEN CON SU TESORO.

JONAH DISPARA AL KRAKKEN PARA HACERLO VOLVER AL LAGO.
DE REPENTE, FAUCES EMERGE DEL AGUA.
¿QUIERES LUCHAR CON UN MONSTRUO? PRUEBA CONMIGO.
FAUCES ARREBAT LOS HUEVOS A JONAH.
¡DEVUELVE LOS HUEVOS!

¡ZAP!
¡AHH!
¡AHH!
¡FLOOOSH!
JONAH GOLPEA A FAUCES.
¡SMASH!
EL BOTE SE ROMPE SOBRE EL EMBARCADERO.

MIENTRAS TANTO, EL ABUELO MAX Y GWEN MERODEAN POR LA FÁBRICA. DE REPENTE OYEN UN RUIDO.
MMM...
AQUÍ ESTÁ EL CAÑÓN.
¡PSSST!
EN EL LAGO, UNO DE LOS HOMBRES DE JONAH HA CAÍDO AL AGUA...
VUELVE A SUBIR A LA FÁBRICA Y DESCUBRE AL ABUELO MAX Y A GWEN.
¡QUIETOS

BIEN, AMIGO, PODEMOS HACERLO FÁCIL O DIFÍCIL.
¡JA,JA!... ESO DEPENDE DE VOSOTROS.
DE REPENTE, LA COLA DEL KRAKKEN APARECE POR DETRÁS.
¿EH?
¡PAM!
¡CRAS!

GWEN...

¡SALTA, AHORA!

¡CRASH!
¡AHHH!
¡SPLASH!
¿DÓNDE ESTÁ EL MONSTRUO?
¡POOM!
¡AHH!
¡PATAM!
¿ESTO ERA LO FÁCIL O LO DIFÍCIL?

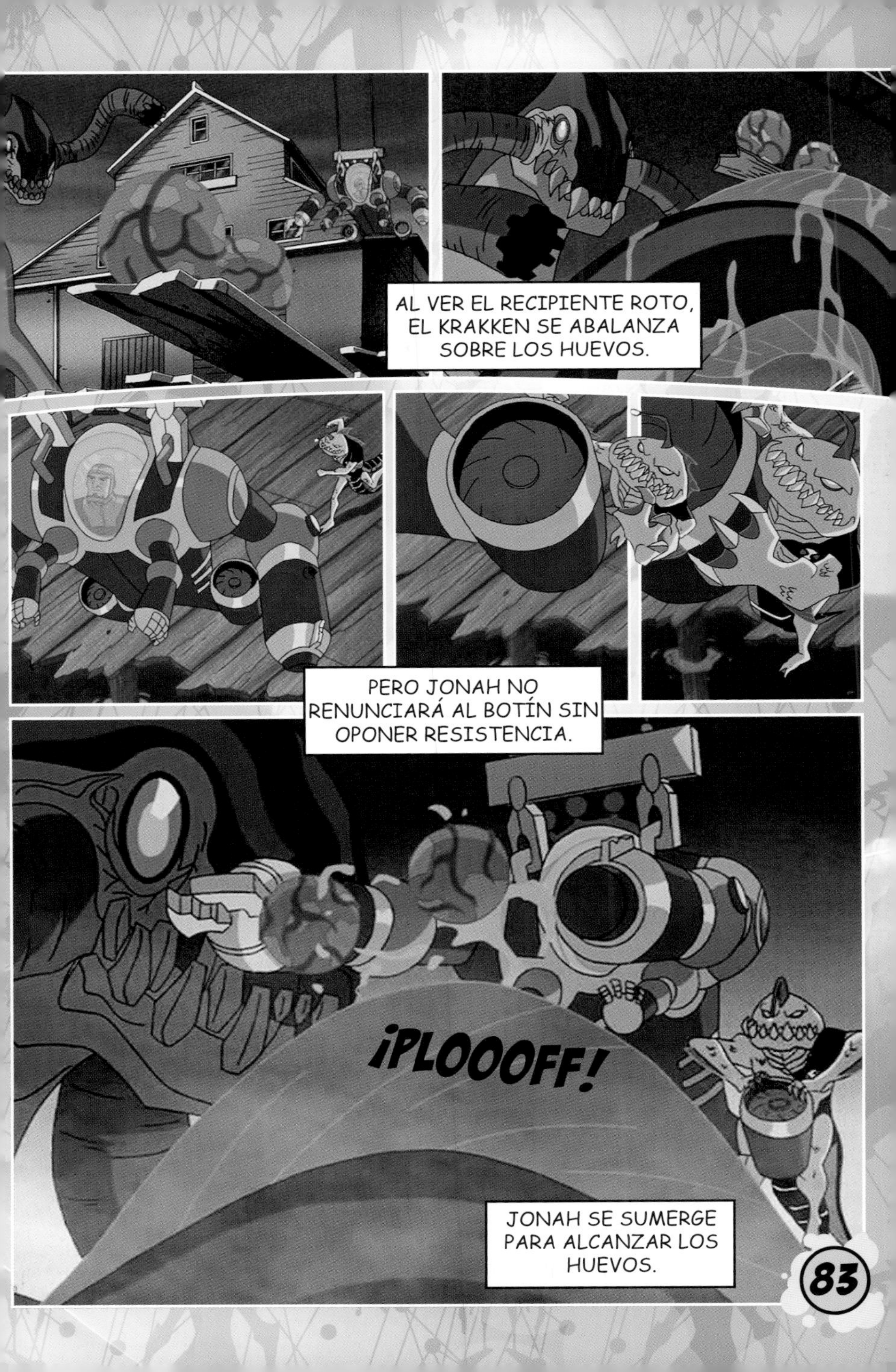
AL VER EL RECIPIENTE ROTO, EL KRAKKEN SE ABALANZA SOBRE LOS HUEVOS.
PERO JONAH NO RENUNCIARÁ AL BOTÍN SIN OPONER RESISTENCIA.
¡PLOOOFF!
JONAH SE SUMERGE PARA ALCANZAR LOS HUEVOS.

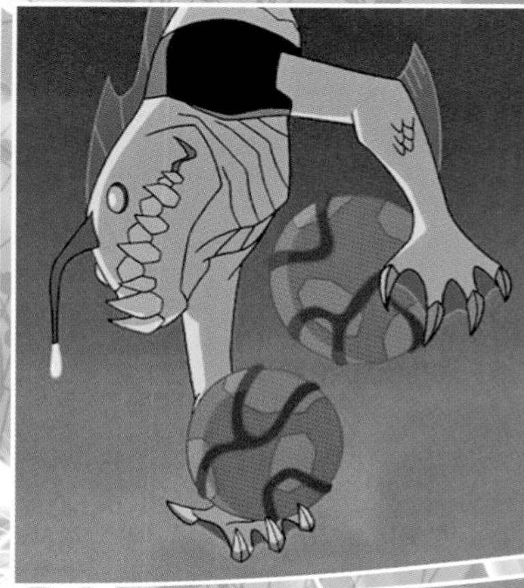

JONAH PERSIGUE A FAUCES HASTA LAS PROFUNDIDADES.

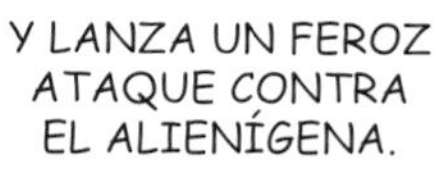

JONAH VA A POR LOS HUEVOS.
¡AHORA VERÁS!

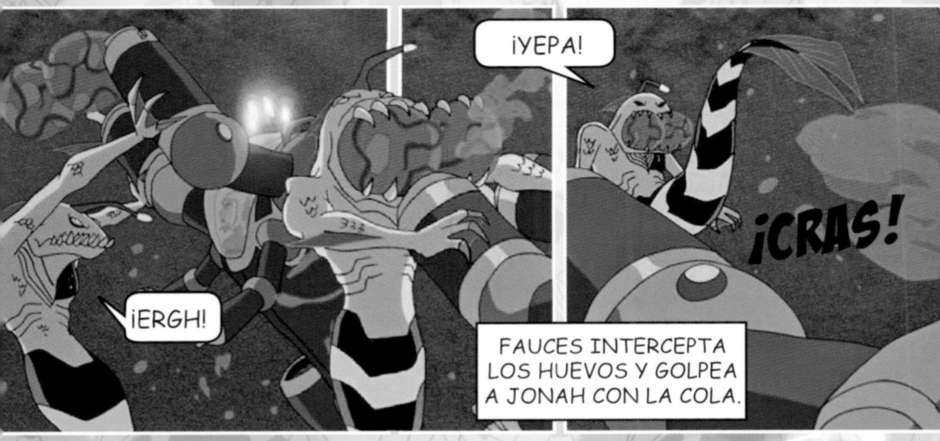
¡ERGH!
¡YEPA!
¡CRAS!
FAUCES INTERCEPTA LOS HUEVOS Y GOLPEA A JONAH CON LA COLA.

DE REPENTE, FAUCES RECIBE UN GOLPE DEL KRAKKEN.
¡AGGH!
¡PAAAM!
¡GRRRR!

JONAH EMITE UNA RÁFAGA DE ULTRASONIDOS PARA DETENER AL KRAKKEN.
¡ZAP!
¡ZOOM!
¡BZZZZZZ.
ASÍ QUE INTENTAS SALVAR A TUS CRÍAS... MUY TIERNO, PERO ESTÚPIDO.
¡FLOOSSSH!
¡HAS IDO DEMASIADO LEJOS, JONAH!

¡TACHÁN!

FAUCES REÚNE TODAS SUS FUERZAS PARA ARROJAR A JONAH AL FONDO DEL LAGO.
¡BOOOM!

¡ARG!
¡ZAP!
¡BZZZ!
JONAH LIBERA UNA DESCARGA ELÉCTRICA PARA DEJAR A FAUCES FUERA DE COMBATE.
¡POOM!

¡FLAASSSH!
JONAH INTENTA ESCAPAR PERO FAUCES LE LANZA UN ANCLA.

¡CLANG!
EL ANCLA ALCANZA LA ESCAFANDRA Y CONSIGUE ARRANCARLE UN BRAZO.

EL KRAKKEN VUELVE A LA CARGA.

EL MONSTRUO ROMPE LA CADENA DEL ANCLA.
¡FLOSSSHH!
LOS HUEVOS SE ESCAPAN DE LAS GARRAS DE JONAH. FAUCES APROVECHA LA OCASIÓN PARA CAPTURARLOS CON LA BOCA.

¡GRROOOOAAAR!
AL VER QUE FAUCES TIENE SUS CRÍAS, EL KRAKKEN ENFURECIDO INICIA LA PERSECUCIÓN.

FAUCES DEVUELVE LOS HUEVOS AL NIDO CON DELICADEZA.

EL KRAKKEN SE ABALANZA SOBRE LOS HUEVOS PARA PROTEGERLOS.
PERO JONAH NO SE DA POR VENCIDO E INICIA OTRO ATAQUE CONTRA EL KRAKKEN.

¡GRROOOOAAAR!
EL MONSTRUO ATRAPA LA ESCAFANDRA ROBÓTICA Y LA APLASTA CON SUS TENTÁCULOS.

¡CRASSSHH!

PERDIDO EL COMBATE, JONAH DESCARGA SU RABIA CON UN CUCHILLO...

... PERO EL RESULTADO NO ES LO QUE ESPERABA.
¡CLANK!

¡GRROAAARRR!
AL VER QUE EL KRAKKEN ESTÁ ABRIENDO LA MANDÍBULA, FAUCES CORRE A RESCATAR A JONAH.
QUIERE ENCARGARSE ÉL MISMO DE DARLE SU MERECIDO.
¡FLASSSSHHH!
¡BAM

¡UGGG!
'E QUEDARÁS AQUÍ
OLGADO HASTA QUE
A POLICÍA TE META
N UNA CELDA LIMPIA
Y SECA.
¡SPLASH!
¡SPLOSH!
BUENA MANERA
DE TRATAR UN
DESPERDICIO.
¡LO TENGO! ¡POR
FIN ATRAPÉ A
UN KRAKKEN!

UNA DE LAS CRÍAS SALIÓ DEL CASCARÓN. ¿OS LO IMAGINÁIS EN MI CASA COLGANDO DE UNA PARED?

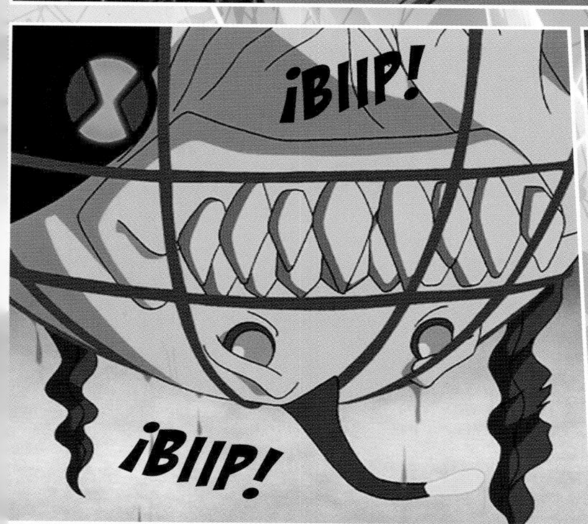
¡BIIP!
¡BIIP!

CREO QUE SU HEROICA CAPTURA NO ES LO QUE PARECE.

¿QUÉ?

¡JE, JE!...

PERO...
HUBIERA JURADO QUE...
¿QUÉ PASA AQUÍ?
AHORA QUE SUS HUEVOS ESTÁN A BUEN RECAUDO, EL KRAKKEN DESCANSA PACÍFICAMENTE EN EL FONDO DEL LAGO.
DE MOMENTO...

BEN 10™

NOMBRE: CUATROBRAZOS

PROCEDENCIA ALIENÍGENA: CUATROBRAZOS PROCEDE DEL PLANETA KHOROS, UN MUNDO DESÉRTICO, TÓRRIDO Y POLVORIENTO.

SUPERPODERES: ES UNA DE LAS FORMAS ALIENÍGENAS MÁS FUERTES DEL UNIVERSO. CUANDO SE TRATA DE MÚSCULOS, ES CASI IMPOSIBLE DERROTARLO.

DESCRIPCIÓN FÍSICA: POSEE CUATRO BRAZOS Y CUATRO OJOS, Y MIDE TRES METROS DE ALTURA. CUATROBRAZOS ES CONSIDERADO UN GIGANTE EN COMPARACIÓN CON OTRAS FORMAS DE VIDA.

GOLPE DE EFECTO: PUEDE LANZAR UN ATAQUE DE ONDAS EXPANSIVAS CON SÓLO GOLPEAR EL SUELO O DANDO UNA PALMADA.

PUNTO DÉBIL: SUS MÚSCULOS LE DAN UNA GRAN FUERZA PERO CARECE DE VELOCIDAD. LE CUESTA UNA BARBARIDAD ESQUIVAR LOS ATAQUES O ENFRENTARSE A ENEMIGOS VELOCES.

CUATROBRAZOS